Le mystère des taches bleues

Par Sheila Sweeny Higginson
D'après un épisode écrit par Kent Redeker
Illustré par Alan Batson

Publié par Presses Aventure, une division de
Les Publications Modus Vivendi Inc.
55, rue Jean-Talon Ouest, 2e étage
Montréal (Québec) H2R 2W8
CANADA
www.groupemodus.com

Éditeur : Marc Alain
Traduit de l'anglais par Karine Blanchard

Publié pour la première fois en 2013 par Disney Press sous le titre original *Caught Blue-Handed*

Dépôt légal — Bibliothèque et Archives nationales du Québec, 2013
Dépôt légal — Bibliothèque et Archives Canada, 2013

ISBN 978-2-89660-574-3

Nous reconnaissons l'aide financière du gouvernement du Canada par l'entremise du Fonds du livre du Canada pour nos activités d'édition.

Gouvernement du Québec — Programme de crédit d'impôt pour l'édition de livres — Gestion SODEC

Imprimé en Chine

veut montrer son
Donny
dessin à .
Doc
« Devine ce que c’est »,
dit-il à sa sœur.

Doc admire le dessin.

Elle ne sait pas ce que c'est.

« C'est un  éléphant bleu qui

mange des  bleuets », dit Donny.

Donny va dans la maison montrer son œuvre à Maman. Le stéthoscope de Doc se met à scintiller. Ses jouets prennent vie! Ses amis veulent lui dire «bonjour».

Câline saute dans les bras de Doc

pour lui faire un câlin.

«Je suis bêê-bêê-bien contente

de te voir!» dit Câline.

Le jouet de Donny veut aussi dire « bonjour ». Il a six mains.

« Salut, Doc ! » dit le jouet de Donny.

« Bonjour, Globo ! » répond Doc.

P'tit Couic bondit et tape dans la main de Globo.

« Comment ça couic, mon ami ? » demande Globo.

Globo tapote le dos de la Surfeuse.

« Ça flotte ? » demande Globo.

« Oui ! » répond la Surfeuse.

Ensuite, Globo joue avec Benny
le camion.
Puis, il prend Chocotte dans ses bras.
Il le serre très très fort !

retourne ensuite
Globo
vers la à dessin.
table

« Je crois que je me suis brisé

les [os] », dit [Chocotte]. [Doc] rigole.

« Les bonshommes de neige

n'ont pas d'os ! » précise-t-elle.

Chocotte n'a pas les Os brisés,
mais quelque chose cloche.
Il est couvert de taches !

« Chocotte, tu as besoin d’un examen », dit Doc.
Doc va aider Chocotte à se sentir mieux !

Doc regarde dans la bouche de Chocotte.

Elle examine les yeux de Chocotte.

Doc écoute le cœur de Chocotte.

Doc utilise un thermomètre pour prendre la température de Chocotte.

« Tu ne fais pas de fièvre, Chocotte, dit Doc. C'est une bonne nouvelle. »

« J'ai trouvé un diagnostic, annonce Doc.
Chocotte a des marques bleues sur le dos.
C'est la maladie des taches
mystérieuses. »

« Les taches mystérieuses ? s'écrie Chocotte.
Mais je ne sais pas ce que c'est ! »
« Personne ne le sait, dit Doc.
Voilà pourquoi c'est un mystère. »

Hallie entre dans la clinique
avec d'autres patients.
P'tit Couic a des taches bleues.
Benny et la Surfeuse en ont aussi.

« C’est terrible ! » s’exclame Chocotte.

Il se prend la tête

et perd connaissance.

Hallie
s’élance pour rattraper 
Chocotte
.
Voilà que Hallie aussi a des
taches bleues !

Doc
comprend enfin comment les
taches mystérieuses se répandent.

Câline veut câliner Chocotte.

« Ne touche pas à Chocotte ! dit Doc.

Tu pourrais avoir des marques ! »

« Je ne pourrai plus donner de câlins ? »

demande Câline.

Doc explique à Câline pourquoi elle ne peut pas donner de câlins. Les taches se transmettent, un peu comme les germes qui peuvent donner des maladies.

Doc doit maintenant trouver qui est à l'origine de l'épidémie.

Hallie a eu des marques après avoir retenu Chocotte.

« Chocotte, qui d'autre aurait pu te toucher ? » demande Doc.

se rappelle quelque chose.

« Globo m’a serré très fort dans ses bras ! » dit-il.

« Globo m'a tapoté le dos », dit la Surfeuse.
« Il m'a touché aussi ! » ajoute Benny.
« Bingo ! » dit Doc. Elle se précipite
dans la cour pour trouver Globo.

Doc retrouve Globo. Il est sur le point de faire un câlin à Teddy.

« Attends ! crie-t-elle. Je crois que c’est toi qui as créé cette épidémie bleue ! »

Doc observe Globo. Il n'est pas malade.
Mais ses mains sont tachées
de peinture bleue!

« Ce n'est pas une maladie mystérieuse, dit Doc.
C'est de la peinture bleue que Globo a sur les mains ! »
« Ouf ! » soupire Chocotte.
Tout le monde rentre à la clinique.

C'est l'heure de se laver les mains !

Doc nettoie Globo, Chocotte et P'tit Couic.

Puis, elle nettoie Benny, la Surfeuse et Hallie.

Finies, les taches mystérieuses !

Doc a une question pour toi.
As-tu lavé tes mains aujourd'hui ?